Twee vrienden
op het ijs

LEES**N!VEAU**

Toegekend door Cito i.s.m. KPC Groep

© 2007 Educatieve uitgeverij Maretak, Postbus 80, 9400 AB Assen

Tekst: Dorry Roothans
Illustraties: Lucy Keijser
Vormgeving: Heleen van Keulen
DTP Gerard de Groot
ISBN 978 90 437 0323 9
NUR 140/282
AVI 5

Twee vrienden
op het ijs

Dorry Roothans
illustraties: Lucy Keijser

educatieve

uitgeverij

Maretak

1 Spelen

Sjoerd en Brahim zijn vrienden.
Sjoerd heeft blonde haren.
Zijn gezicht is wit.
Brahim heeft zwarte haren.
Zijn gezicht is bruin.
Sjoerd en Brahim zitten in groep vier.
Brahim woont bij Sjoerd in de buurt.
Ze lopen altijd samen naar school.
En na school spelen ze vaak buiten.
Sjoerd heeft één zus.
Brahim heeft drie zussen.

De school is uit.
Sjoerd en Brahim gaan eerst naar huis.
Daarna gaan ze voetballen.
In hun dorp is een mooi plein.
Het ligt een beetje dieper dan de weg.
Er mogen geen auto's staan.
De kinderen mogen er spelen.
Soms is er feest of kermis in het dorp.
Dan komen alle mensen naar het plein.
En op dinsdagmorgen is daar de markt.

Sjoerd komt thuis.
Hij drinkt een glaasje fris.
Hij vertelt mama hoe het op school was.
Dan gaat hij weer naar buiten.
Hij neemt zijn voetbal mee naar het plein.
Brahim komt er ook al aan.
Brahim maakt een doel.
Hij legt zijn jas aan de ene kant.
Sjoerd legt zijn jas aan de andere kant.
Brahim is doelman.
En Sjoerd gaat schieten.
Brahim vliegt naar de bal.
Met een hoge sprong houdt hij hem.
Sjoerd schiet weer.
Nu kan Brahim er niet bij.
De bal zit.
Ze tellen.
Zo gaan ze door.
Als Sjoerd tien keer heeft geschoten, ruilen ze.
Brahim gaat nu schieten.
Sjoerd staat te springen in het doel.
Het wordt spannend.
Het is tien-negen voor Brahim.
De volgende bal moet erin.
Dan heeft Brahim gewonnen.
Want dan is het elf-negen.
Sjoerd wil de bal tegenhouden.

Dan is de stand tien-tien.
Gelijk spel dus.
Sjoerd loert naar de bal.
En hij houdt ook Brahim in de gaten.
Brahim legt de bal neer.
De jongens kijken naar elkaar.
Brahim doet net of hij gaat schieten.
Sjoerd staat gebogen.
Klaar om op de bal te duiken.
Hij wil hem hebben.
Hij wil niet verliezen.
Ineens roept er iemand.
Sjoerd kijkt naar links.
Daar staat een mevrouw.
Brahim schiet en juicht.
'Hij zit!'
Sjoerd schrikt.
Hij had niet meer op de bal gelet.
Hij kijkt naar de vrouw.
Ze roept iets wat hij niet verstaat.
Maar Brahim verstaat het wel.
Hij roept iets terug.
Hij loopt naar de vrouw.
Sjoerd kijkt.
De vrouw is Brahims moeder.
Ze is boos op Brahim.
Sjoerd wil zijn vriend helpen.

'Mevrouw', begint hij.

'Wij zijn gewoon aan het spelen.'

Maar Brahims moeder kijkt niet naar Sjoerd.

En ze blijft mopperen.

Brahim staat met gebogen hoofd.

Dan zucht hij.

Hij haalt de jassen op.

Hij geeft er één aan Sjoerd.

'Ik moet mijn jas aantrekken', zucht Brahim.

'Mijn moeder zegt dat het te koud is.'

'Dat is helemaal niet waar!', zegt Sjoerd.

Hij is een beetje boos.

'We krijgen het vanzelf warm.'

Hij kijkt naar de vrouw.

Ze helpt Brahim met zijn jas.

Ze doet zijn rits dicht.

En ze zet zijn muts op.

Dan doet ze zijn sjaal er nog omheen.

Sjoerd vindt het maar raar.
Brahim is toch geen kleuter!
Hij kan heus wel zelf zijn jas aandoen.
En ze heeft het spel bedorven.
Sjoerd doet zijn jas ook maar aan.
De moeder van Brahim loopt weer door.
Sjoerd weet niet wat hij moet zeggen.
'Ik had gewonnen', zegt Brahim.
'Ja, omdat ik even niet keek!', zegt Sjoerd.
'En dat is de schuld van jouw moeder.'
'Daar kan ik toch niets aan doen!', zegt Brahim.
Sjoerd mokt.
'Nee.
Maar het spel is nou wel bedorven.
Het had nog gelijk spel kunnen worden.'
Brahim lacht.

'Maar nou heb ik gewonnen!', zegt hij.
Sjoerd vindt het niet leuk.
'Waarom deed jouw moeder dat?'

Brahim zucht.

'Ze was boos.

Ik mag niet zonder jas buiten.

Ze vindt het veel te koud.'

Sjoerd kijkt nog steeds boos.

'Wij komen uit een warm land', zegt Brahim.

'Mijn moeder vindt het hier altijd koud.'

Sjoerd moppert nog steeds.

'Ik wil nog een serie schieten', zegt hij.

'Goed.

Maar ik hou mijn jas aan', zegt Brahim.

'Mijn moeder komt zo weer langs,

als ze uit de winkel komt.

En dan kijkt ze of ik mijn jas aan heb.

Anders moet ik mee naar huis.

Dan mag ik niet meer buiten spelen.

Kunnen we het doel niet op een andere manier maken?'

'Ik zie niets waarmee we dat kunnen doen', moppert Sjoerd.

'En ik heb er ook geen zin meer in.'

'Morgen wil je wel weer', zegt Brahim.

De jongens lopen naar huis.

2 Plannen

Het is zaterdag.
Brahim komt bij Sjoerd.
Sjoerd wil nog niet spelen.
Hij kijkt tv.
Zijn vader en moeder en zus Els ook.
Brahim kijkt mee.
Er is schaatsen op de tv.
Brahim heeft dat nog nooit gezien.
Sjoerd legt het uit.
'Kijk!
Nou gaan ze starten.'
Brahim ziet twee mannen.
Ze staan in een raar pak.
Het zit heel strak.
Hun muts zit eraan vast.
En ze hebben ijzers onder hun schoenen.
De mannen lopen naar een streep.
Ze zakken door de knieën.
Ineens klinkt er een schot.
Eerst gaan de mannen hard rennen.
Dan bukken ze en gaan ze glijden.
In de bocht maken ze korte stappen.

Zo gaat dat een paar rondjes.

De papa en de mama van Sjoerd roepen.

Ze zijn heel blij als de mannen weer klaar zijn.

Er komen weer twee andere mannen.

Die doen hetzelfde.

Brahim kijkt naar de vader van Sjoerd.

Die zit helemaal naar voren.

Hij zucht als de mannen weer klaar zijn.

'Nou is er even pauze', zegt mama.

'Ze gaan dweilen.

Dan kan ik nu thee zetten.'

'Ik help even', zegt Sjoerd.

Brahim kijkt naar de tv.

Er rijden grote auto's op het ijs.

'Wat is dweilen?', vraagt hij.

De papa van Sjoerd legt het uit.

'Het ijs wordt weer mooi glad gemaakt.'

Brahim kijkt heel verbaasd.

'Is dat ijs?

Kun je dat opeten?'

'Nee, dit ijs kun je niet opeten!', lacht papa.

'Is dat ijs ook koud?', vraagt Brahim.

Els begint te lachen.

'Natuurlijk!', zegt ze.

'Warm ijs bestaat niet.'

Brahim snapt er niets van.

'Heb jij wel eens ijs op?', vraagt papa.

Brahim knikt.

'Nou ... dat is ijs om op te eten.

Maar er is ook ander ijs.

Hebben jullie thuis een diepvries?'

Brahim knikt weer.

'Zet daar maar eens een bakje water in.

Dat water wordt vanzelf ijs.

Dat komt omdat het daarin heel koud is.

Het is zo koud dat het vriest.

Dat doet een motor.

In de diepvries zit een motor.

Die maakt het heel koud.

En hier ...'

Papa wijst naar de tv.

'Hier maken ze de vloer heel koud.

Ze laten er water op lopen.

Dat bevriest dan.

Zo hebben ze de ijsbaan gemaakt.'

Sjoerd komt langs met de koektrommel.

'Ik leg Brahim alles uit over ijs', zegt papa.

'Ja, dat weet hij niet', zegt Sjoerd.

'Hij komt uit een warm land.'

'Waarom doen ze zo moeilijk?', vraagt Brahim.

'Ze kunnen toch gewoon op de grond lopen?

Dan kunnen ze toch ook een wedstrijd doen?

Wie het eerst rond is.'

Papa lacht.

'Ja, dat bestaat ook.

Daar kijken wij ook graag naar.

Maar dit is iets anders.

Dit is schaatsen.

Je kunt dat ook buiten doen.

Dan moet het heel koud zijn.

De sloten en de plassen bevriezen dan.'

Brahim kijkt naar Sjoerd.

'Heb jij dat wel eens gedaan?'

'Nee', zegt Sjoerd.

Sjoerd kijkt naar papa.

Hij vraagt: 'Hoe komt dat, papa?

Waarom heb ik nog nooit geschaatst?'
'Het is lang niet meer zo koud geweest',
zegt papa.
Els roept: 'Ik heb lekker wel geschaatst!
Toen was ik drie jaar.
Mama heeft er een foto van gemaakt.'
Mama komt binnen met de thee.
'Ik heb geschaatst, hè mam?', roept Els.
'Ja.
Maar dat waren geen echte schaatsen',
zegt mama.
'Dat waren babyschaatsen.
Met twee ijzers.
Dat is om het te leren.'
Sjoerd kijkt naar Els.
Zij is twee jaar ouder dan hij.
Zij heeft alles eerder gedaan.
Dat vindt hij niet leuk.
Sjoerd zegt: 'Ik wil nooit op babyschaatsen.
Ik wil meteen op grote.
Met mooie schoenen.'
'En waar wil jij dat doen?', vraagt papa.
Sjoerd weet het niet.
Papa praat verder.
'Ik wilde net mijn plan vertellen.
Luister.
Brahim weet niet wat ijs is.

Dat ga ik eerst uitleggen.
Nou Brahim, van de diepvries ...
dat weet je nog?'
Brahim knikt.

'Soms is het hier in de winter heel koud.
Het water van de sloten bevriest dan.
Op de plassen komt ook ijs.
Daar gaan de mensen dan op schaatsen.'
'Ik ga nooit op water lopen!', zegt Brahim.

Sjoerd lacht: 'IJs is geen water, gekkie.
IJs is heel sterk, hè pap?'
Brahim gelooft er niks van.
'Ja Brahim', zegt papa.
'Als het hard vriest, dan houdt het ijs je.
Maar je moet eerst wachten.
Het ijs moet sterk genoeg zijn.'
'Ja Brahim', knikt Sjoerd.
'Mijn vader weet dat.
Hij ging vroeger altijd schaatsen
met zijn vader.'
'Stil nou', zegt papa.
'Ik wil vertellen wat mijn plan is.
De weerman zegt dat het gaat vriezen.
Het plein waar jullie altijd spelen,
daar gaan ze water op spuiten.
Dat water bevriest.
En dan hebben we hier een prachtige ijsbaan.'

Brahim fronst zijn wenkbrauwen.
'Maar dan kunnen we er niet voetballen.
Dat vind ik niet leuk.'
'Dan kun je ijshockey spelen!', lacht mama.
'Dus mijn plan is ...', gaat papa door.
'Als er ijs is, gaan we schaatsen.
Brahim mag ook mee.
Wat vinden jullie ervan?'
Sjoerd en Els juichen.
Brahim kijkt een beetje bang.
Mama lacht.
'Wij helpen jou dan wel, Brahim.
Je kunt van ons schaatsen lenen.
En ik ga wel met je moeder praten.'
Brahim trekt een raar gezicht.
Hoe moet je zo blijven staan?
Met twee dunne messen onder je schoenen?
Hij vindt het maar eng.

3 Zout

Het is twaalf uur.
De school is uit.
Brahim en Sjoerd lopen naar huis.
Het is heel koud.
Brahim trekt zijn sjaal omhoog.
Hij doet hem voor zijn mond.
Sjoerd doet zijn handen in zijn zakken.
'Kijk', zegt Sjoerd.
'Het vriest.'
Hij wijst naar een plas.
Er ligt ijs op.
'Even voelen of het ijs al sterk is.'
Hij stampt erop.
Brahim helpt mee.
'Nou ... best wel hard, hoor.'
Brahim stampt nog een keer.
Het ijs breekt.
Dat gaat leuk.
Het kraakt zo lekker.
Sjoerd ziet nog een plas met ijs.
Ze gaan weer samen stampen.
Het ijs kraakt en breekt.

Brahim kijkt ernaar.

Hij denkt na.

Dan vraagt hij aan Sjoerd:

'Als je gaat schaatsen op ijs, hè?

Kan dat ijs dan ook kapot?'

'Ja', zegt Sjoerd.

'IJs kan kapot.'

'Dan ga ik niet schaatsen!', zegt Brahim.

Hij wijst naar de kapotte ijsplas.

'Onder het ijs zit water.

En schaatsen zijn scherp.

Die snijden in het ijs.

Wat gebeurt er dan?'

'Dan komen er sporen in het ijs', zegt Sjoerd.

Brahim denkt verder.

'En als je valt?

Dan gaat het ijs kapot.

Wat gebeurt er dan?'

'Dan word je nat!', zegt Sjoerd.

'Dat is nogal logisch.'

'En het is ook nog koud', bibbert Brahim.

'Ik mag vast niet mee van mijn moeder.'

Sjoerd vindt het raar.

'Waarom zou je dat niet mogen?

We schaatsen hier op het plein.

Er zit bijna geen water onder het ijs.

Dat is echt niet gevaarlijk, hoor.

Mijn moeder gaat met jouw moeder praten.

Dan legt ze het wel uit.'

Brahim kijkt of hij het nog niet echt gelooft.

De jongens zijn nu bij het plein.

Er is markt.

Ze lopen tussen de kramen door.

Ze moeten even opzij.

Een meneer met een kruiwagen moet erlangs.

Hij stopt en pakt een schop.

Hij strooit iets wits op de grond.

Sjoerd en Brahim kijken.

Het lijkt wel strooizout, denkt Sjoerd.

'Strooit u zout, meneer?', vraagt hij.

De meneer knikt.

'Ja', zegt hij.

'Het is een beetje glad, hier en daar.

De gemeente wil dat ik zout strooi.

Want er mogen geen mensen uitglijden.'

Brahim snapt er niets van.

Gooit die meneer zout op de grond?

'Zout moet je op het eten doen!', zegt hij.

'Maar niet als de weg glad is.

Dan moet het op de weg', zegt Sjoerd.

'Door het zout smelt het ijs.

Dan gaat de gladheid weg.

Zo gaat dat hier in de winter.'

Brahim schudt zijn hoofd.

Hij vindt het maar raar.

Wie gooit er nou zout op straat!

Om halfvier lopen de jongens uit school
naar huis.

'Gaan we voetballen?', vraagt Brahim.

'Nee.

Veel te koud!', bibbert Sjoerd.

'Maar je wordt er toch warm van?',
probeert Brahim.

'En doe jij dan ook je jas uit?', vraagt Sjoerd.

'Dat mag jij toch niet van je moeder.'

Ze zijn nu bij het plein.

De laatste marktkraam wordt opgeruimd.

Een meneer rolt een rood-wit plastic lint af.

'Is de politie hier bezig?', denkt Sjoerd hardop.

'Is er een ongeluk gebeurd?', vraagt Brahim.

Een oude meneer lacht.

'Nee jongens', zegt hij.
'Dat is voor de ijsbaan!
Ze gaan water spuiten vanavond.
Maar eerst moet het plein leeg.'
Hij lacht.
'Ik ken jullie wel.
Jullie komen hier vaak een balletje trappen.'
'Dat wilden we nu ook doen', zegt Brahim.
'Maar we vonden het wel koud', vult Sjoerd aan.
Ze kijken naar de man met het lint.

Hij maakt het lint vast aan een paal.
Dan loopt hij verder.
Bij een boom staat hij stil.
Daar gaat het lint omheen.
Hij knoopt het vast.
En hij loopt weer verder.
Zo gaat hij het hele plein rond.
'Dit is slim!', zegt Sjoerd.
'Dit snapt iedereen.
Het ijs is nog niet klaar.
Dus mag je er niet op lopen.'
'Nou jongens ...', zegt de oude man.
'Ik hoop dat het vannacht lukt met het ijs!'
Hij wijst naar de tegels.

'Kijk eens hoe wit die zijn.
Ze hebben te veel zout gestrooid.
Maar daar komt al hulp aan.'
Er stopt een brandweerwagen.

De jongens moeten eigenlijk naar huis.
Maar er is nu zo veel te zien.
Er wordt een grote slang uitgerold.
Een brandweerman koppelt de slang
aan de brandkraan.
En dan is er ineens veel water.
Het hele plein wordt nat.
Er komen steeds meer mensen kijken.
'Ze willen natuurlijk het zout wegspuiten',
zegt een mevrouw.
Brahim fronst zijn wenkbrauwen.
'Vanmorgen waren ze zout aan het strooien.
En nou spuiten ze het weer weg!', zegt hij.
'Ik vind dat helemaal niet raar', zegt Sjoerd.
'Vanmorgen was er markt.
En nou willen ze de ijsbaan gaan maken.'
Brahim schudt zijn hoofd.

4 Raar ijs

Sjoerd zit aan tafel.
Els en papa komen ook.
Mama zet het eten op tafel.
Papa vraagt aan Sjoerd:
'Was jij vandaag bij het plein?
Heb je iets gezien?
Leek het al op een ijsbaan?
Het gaat vannacht flink vriezen.
Misschien kunnen we morgen schaatsen.'
Mama zegt: 'Ik heb gezien dat ze bezig waren.'
'Ja', zegt Sjoerd.
'De brandweer was er.
Maar er lag zout op de grond.
Vanmorgen hebben ze nog gestrooid.
De brandweer moest eerst het zout wegspoelen.'
'Ik snap er niets van!', zegt Els.
'De brandweer spuit water op het zout.
Dat zoute water moet weglopen.
Het loopt in de putjes.
Het plein wordt schoon.
Dan gaan ze ijs maken.
De brandweer spuit weer water.

Dat water moet bevriezen.
Maar dat loopt dan toch ook weg?
Hoe kan dat nou?'
Sjoerd weet het ook niet.
Hij kijkt naar papa.
'Ze zijn slim geweest', glimlacht papa.
'Toen het nieuwe plein gemaakt werd,
hebben ze al aan een ijsbaan gedacht.
De putten kunnen afgesloten worden.
Ze spuiten er water op.
Dat loopt niet meer weg.
En als het vriest, wordt het water ijs.
Maar er kwam maar steeds geen koude winter.
Nu is het eindelijk zover!

We kunnen schaatsen op het plein.
Jullie zien je oude vader schaatsen!'
Els proest het uit.
'En mama?
Kan mama het ook?'
'Ja hoor!', zegt mama.
'Wij gingen vroeger vaak naar de kunstijsbaan.
Wij kunnen allebei goed schaatsen.'

De volgende dag is het woensdag.
Brahim en Sjoerd lopen naar huis.
Bij het plein zijn veel mensen.
Ze blijven achter de rood-witte linten.
Er komen steeds meer kinderen.
Sjoerd is benieuwd naar het ijs.
Er ligt ijs op de tegels.
Maar het ziet er een beetje raar uit.
Er zitten grote luchtbellen onder.
Sommige kinderen gaan op het ijs.
Sjoerd kruipt ook onder het lint door.
Hij glijdt de helling af.
Hij gaat meteen onderuit.
Brahim wil ook komen.
'Pas op!', roept Sjoerd.
'Het is spiegelglad.'
Maar het is te laat.
Brahim ligt ook op de grond.

Ze krabbelen overeind.
En ze gaan weer aan de kant kijken.
Sjoerd kijkt goed naar de andere kinderen.
Ze lopen een stukje.
Dan laten ze hun voeten over het ijs glijden.
Niet naar voren.
Maar zijwaarts.
Sjoerd doet het na.
Brahim leert het ook.
Maar dan valt Sjoerd weer.
Hij ziet dat het ijs heel dun is.
De tegels van het plein komen
erdoorheen.
De mensen aan de kant staan te wijzen.
Er zijn een heleboel slechte plekken.
De oude man die er gisteren was,
staat er ook weer.
Hij schudt zijn hoofd.
'Dit wordt niets!', zegt hij
tegen een andere man.
Sjoerd luistert.
'Ze hebben te veel zout gestrooid',
zegt de ene man.
'Of niet goed gespoeld', zegt de andere.
De mannen wijzen naar het ijs.
Sjoerd ziet het ook.
Het is net of het ijs los ligt.

'Dat krijgen ze nooit meer goed',
zegt de ene man.
'Nee.
Dat wordt niets, die ijsbaan', zegt de andere.
Sjoerd gaat het ijs weer op.
Hij loopt voorzichtig.
Brahim loopt achter hem aan.
Sjoerd kijkt naar zijn voetstappen.
Het ijs breekt waar hij loopt.
Iedere stap maakt het ijs kapot.
'Raar ijs', zegt Brahim.
'Niks schaatsen!', zegt Sjoerd.
'Kom.
We gaan naar huis.'
'Wat doen we nou vanmiddag?', vraagt Brahim.
'Ik weet het niet', zegt Sjoerd.
'Schaatsen kan niet.'
'En voetballen kan ook niet', zegt Brahim.
'Net nou het woensdagmiddag is.'
Hij zucht.
'Ik wil niet binnen spelen, hoor.'
'Ik ook niet', zegt Sjoerd.
'We kunnen wel iets doen in de tuin.'

5 Schaatsen kopen

Het is donderdag.
Sjoerd en Brahim lopen naar school.
Ze kijken bij het plein.
Er ligt ijs op.
De brandweerwagen staat er ook.
Er zijn mensen bezig met slangen.
Ze spuiten water op het ijs.
Het wordt een natte boel.
De twee mannen staan er ook weer.
Ze praten over het water.
Ze denken dat het ijs niet goed wordt.
'Het heeft vijf graden gevroren!', zegt Sjoerd.
De mannen kijken naar hem.
'Maar dat zout is niet weg', zegt de één.
'En dat krijgen ze ook niet weg', zegt de ander.
Sjoerd vindt het jammer.
Hij wil zo graag schaatsen.

De school is uit.
Sjoerd en Brahim lopen snel naar buiten.
Het is koud.
De lucht is blauw.

En de zon schijnt.
Sjoerd denkt dat het nog vriest.
Brahim wijst naar de zon.
'De zon is te warm', denkt hij.
'Maar het is heel koud', zegt Sjoerd.
'Jij hebt toch ook je jas dicht.
En je hebt een dikke sjaal om.'
Ze zijn nu bij het plein.
Er staan heel veel mensen te kijken.
Maar er zijn ook mensen op het ijs.
Veel kinderen ook.
Ze proberen hoe het ijs is.
Sjoerd en Brahim gaan er ook op.
Aan één kant is een glijbaan.
Wel twintig kinderen staan er
in een lange rij voor.
Sjoerd en Brahim weten hoe het gaat.
Je wacht op je beurt.

Je neemt een aanloop.
En dan glij je zijwaarts op de glijbaan.
Andere kinderen weten het nog niet.
Die kijken goed.
Sommige kinderen kunnen het al.
Zij leggen het uit.
De glijbaan lijkt één lange gladde spiegel.
Het gaat heerlijk.
De glijbaan wordt steeds langer.
De rij kinderen ook.

Het wachten duurt lang.
Sjoerd schrikt ineens.
Hij moet naar huis.
Mama kan ongerust worden.
Dat was hij bijna vergeten.
Brahim gaat mee.
Hij moet ook nog eten.
De jongens rennen naar hun straat.

Sjoerd gaat snel naar binnen.
Hij hijgt nog.
Mama had wel gedacht dat hij bij het ijs was.
Maar ze vindt het toch niet goed.
'Eerst naar huis komen, Sjoerd!
Denk eraan.'
Sjoerd belooft het.
Els vraagt of het ijs al goed is.
Sjoerd denkt van wel.
'En hoe is het met het zout?', vraagt mama.
Sjoerd weet het niet.
'Ik heb er geen verstand van, hoor.
Er was ijs.
Er waren veel mensen.
En het ijs was heel glad.
Ik ben een paar keer gevallen.
En Brahim ook.'
'O Sjoerd', zegt mama.

'Ik was bij Brahims moeder.
Ik heb over het schaatsen verteld.
Brahim mag een keer mee.
Hij leent mijn oude schaatsen.
En jullie gaan straks mee naar de winkel.
Schaatsen kopen.'

Sjoerd zit in de klas.
Het is kwart over drie.
De school is bijna uit.
Hij heeft vanmiddag niet goed opgelet.
Hij dacht aan andere dingen.
Niet aan sommen en woordjes.
Nu zitten de kinderen te tekenen.
Sjoerd tekent een ijsbaan.
Met kinderen die schaatsen.
Met vaders die een slee trekken.
En met een ijshockeygroep.
Sjoerd heeft zin om zelf op het ijs te staan.
Juf Ingrid wil nog iets zeggen.
'We gaan morgen naar de ijsbaan.
Met de hele klas.
De andere klassen gaan ook.
Wie schaatsen heeft, moet ze meebrengen.'
Dan gaat de bel.
Sjoerd loopt snel naar het hek.
Samen met Brahim.

Daar staat mama al.
Ze wachten op Els.
Dan lopen ze naar de sportwinkel.
Brahim gaat ook mee.
Els en Sjoerd passen schaatsen.
Els wil schaatsen met witte schoenen.
Die hebben ze in haar maat.
Brahim zit maar te kijken.
Hij vindt schaatsen nog steeds raar.
Sjoerd wil ijshockeyschaatsen.
Hij moet er veel passen.
Ze hebben niets in zijn maat.
'Dan kopen we ze te groot', zegt mama.
Sjoerd krijgt twee paar sokken aan.
Zo passen de schaatsen wél.
'Je voeten groeien nog', zegt mama.
'Deze kun je volgend jaar ook aan.'

Met de schaatsen gaan ze naar huis.

Mama zet Brahim bij zijn huis af.

Hij wil niet mee.

Dan haalt mama haar schaatsen.

Samen gaan ze naar het ijs.

De nieuwe schaatsen proberen.

Sjoerd staat te wiebelen.

Wat zijn die ijzers dun.

Hij valt.

Hij krabbelt weer op.

Hij maakt twee slagen.

Dan ligt hij weer met zijn billen op het ijs.

Maar hij blijft volhouden.

Na een halfuur kan hij al een stukje rijden.

'Je hebt aanleg!', zegt mama.

Sjoerd kijkt trots.

6 IJspret

Sjoerd en Els zitten te eten.
Ze vertellen alles aan papa.
Van de nieuwe schaatsen.
Dat het fijn was op het ijs.
'Dan weet ik wat!', zegt papa.
'We gaan nog even met zijn vieren.'
'Maar het is al donker', zegt Els.
'Er is licht op het plein', weet mama.
Sjoerd lacht.
Dat is leuk.
Naar het plein als het donker is.

Het is zeven uur.
Ze lopen naar de ijsbaan.
Ieder draagt zijn eigen schaatsen.
Bij het plein is het al druk.
Heel veel kinderen zijn op het ijs.
Ook veel vaders en moeders.
En opa's en oma's.
Er klinkt vrolijke muziek.
En er hangen grote snoeren met lampen.
Sjoerd doet vlug zijn schaatsen aan.

Hij heeft vanmiddag al een beetje geoefend.
Dus hij kan zo wegrijden.
Hij gaat naar een groep jongens.
Langs de kant liggen nog sticks.
Sjoerd pakt er één.
Hij gaat mee ijshockeyen.
Els ziet een meisje van haar klas.
Ze gaan samen rondjes rijden.
Dat doen papa en mama ook.
Als het acht uur is, roept papa.
Sjoerd gaat naar de kant.
Daar zijn mama en Els ook al.
Sjoerd ziet een kraampje.
Je kunt er van alles kopen.
Soep, koffie, thee.
Warme chocolademelk.
En ook broodjes en koeken.
Mama vraagt wat ze willen.
Sjoerd lust wel chocolademelk.
Ze zitten gezellig op een bank.
Met zijn vieren bij de koek-en-zopiekraam.
Ze drinken wat.
En ze kijken naar de mensen op het ijs.
Als het op is, wil mama naar huis.
Ze vindt het laat genoeg.
Sjoerd en Els kijken sip.
Het is net zo leuk hier.

Papa wil ook blijven.
Ze spreken af dat ze nog een halfuur schaatsen.

Op vrijdag haalt Brahim Sjoerd op.
Sjoerd neemt een sporttas mee.
'Wat neem jij nou mee?', vraagt Brahim.
'Schaatsen natuurlijk!', roept Sjoerd.
'We gaan toch met de klas schaatsen?'
Sjoerd kijkt naar Brahim.
'Ik heb ook schaatsen voor jou.'
Brahim trekt een vies gezicht.
'Ik kan niet schaatsen!', zegt hij.
'Bij ons kan niemand schaatsen.'
De jongens zijn nu bij het plein.
Een paar kinderen glijden nog snel een baantje.
Een moeder trekt een slee.
Er zit een klein kind op.
Twee mannen zijn aan het vegen.
De twee oude mannen zijn er ook al.
Ze praten en wijzen.
De koek-en-zopiekraam is nog dicht.
Sjoerd en Brahim glijden ook snel een baantje.

De jongens komen op het schoolplein.
Alle kinderen praten over het ijs.
Ze willen er wel de hele dag naar toe.
Alleen Brahim vindt er niets aan.

Hij wil dat het ijs vlug smelt.
Dan kunnen ze weer voetballen.

Voor de pauze werken de kinderen gewoon.
Sjoerd vindt dat het lang duurt.
Eindelijk gaat de bel.
Na de pauze blijven ze buiten.
Alle groepen lopen naar het plein.
Het is een heel lange rij.
De kinderen gaan op de rand om het plein zitten.
Ze trekken hun schaatsen aan.
Kinderen zonder schaatsen gaan baantje glijden.
Brahim kijkt naar Sjoerd.
Sjoerd gaat ijshockeyen.
Brahim schudt zijn hoofd.
Hij gaat maar baantje glijden.
Langs de kant staan mensen te kijken.
Ook op de balkons van de flat staan mensen.
Mensen die boodschappen gaan doen,
blijven staan.
Er is ook muziek.
Het is een gezellige boel.
Sjoerd krijgt het warm van het hockeyen.
Hij gaat even uitpuffen.
Brahim glijdt langs.
Ze zwaaien.
Brahim komt er even bij zitten.

Hij kijkt naar de schaatsen van Sjoerd.

'Wil je toch schaatsen?', vraagt Sjoerd.

'Ik heb ze in de tas, hoor.'

Brahim schudt van nee.

Maar hij kijkt wel steeds naar de schaatsen.

Sjoerd wil weer doorgaan.

Hij staat op.

Dan ziet hij Brahims gezicht.

Brahim wil best wel schaatsen.

Maar hij durft geen ja te zeggen.

'Kom!', zegt Sjoerd.

'Trek je schoenen uit.'

Sjoerd haalt de schaatsen uit de tas.

En twee paar dikke sokken.

Hij helpt met de schaatsen aandoen.

Brahim gaat voorzichtig staan.

Boem!

Daar ligt hij al meteen.

'Wacht even', zegt Sjoerd.

'Ik help je.'

Hij houdt Brahim vast.

Brahim leunt zwaar.

De schaatsen glijden steeds weg.

Er roept iemand vanaf een balkon.

Sjoerd kijkt omhoog.

Een mevrouw roept.

Ze zal iets brengen.

Even later is ze beneden.
Ze zet een plastic stoel neer.
'Zo kun je blijven staan', legt ze uit.
Brahim probeert het.
Nu blijft hij overeind.
Zijn schaatsen staan niet recht.
Zijn enkels knikken naar binnen.
Af en toe liggen zijn schaatsen bijna plat.
Maar hij kan toch een beetje rijden.

Het gaat steeds beter.
Na drie rondjes zet hij de stoel weg.
Hij denkt dat hij het zo wel kan.
Hij rijdt voorzichtig weg.
Sjoerd kijkt hem na.
Brahim leert best wel snel.
En hij is niet bang.
Brahim gaat steeds harder.
Hij schaatst zelfs tussen de ijshockeyers door.

Dan gebeurt het.
Brahim struikelt over een stick.
Hij vliegt door de lucht.
En dan klapt hij op het ijs!
Juf Ingrid is er snel bij.
Sjoerd schaatst er ook naartoe.
Brahim blijft even liggen.
Alle kinderen van de klas staan eromheen.
De juf praat met Brahim.
Hij wil alweer opstaan.
De juf kijkt naar zijn hoofd.
Brahim lacht.
Hij mag opstaan van de juf.
Alle kinderen klappen.
Sjoerd is ook blij.
Juf Ingrid zegt dat het tijd is.
De school is uit.
Sjoerd krijgt de schaatsen terug.
Hij kijkt naar Brahim.
'Je zult wel een flinke buil krijgen', zegt hij.

7 Nog meer ijspret

Op zaterdag is Sjoerd al vroeg op.
Ze gaan vandaag weer schaatsen.
Maar eerst moeten ze even werken.
Dat hebben ze afgesproken.
Els en Sjoerd moeten hun kamer opruimen.
Papa en mama ruimen beneden op.
Sjoerd begint meteen.
Voor het ontbijt is hij al klaar.
Hij bekijkt zijn kamer.
Er slingert niets meer rond.
Geen speelgoed te zien.
Alles zit netjes in de plastic bak.
Boeken en schriften liggen keurig op stapeltjes.
Geen vuile kleren meer op of onder het bed.
Sjoerd is tevreden.
Hij gaat naar beneden.
Els is er nog niet.
Papa is aan het stofzuigen.
Mama strijkt de was.
Sjoerd gaat de tafel dekken.
Dan roept hij Els.
Die ligt nog in bed!

'Els!
We gaan schaatsen.
Kom eruit!
Je moet je kamer nog opruimen.'

Els geeuwt.
'Dat heb ik gisteren al gedaan, slimpie.'
'Nou, kom dan maar vlug eten.
Dan kunnen we snel naar het ijs.'
Sjoerd rent weer naar beneden.
Aan tafel vertelt Sjoerd over Brahim.
Over de stoel om op te leunen.
En dat hij best wel hard gevallen was.
Mama denkt dat Brahim ook komt.
Sjoerd denkt van niet.
'Hij mag misschien niet', zegt Els.
'Ik ga hem wel halen', zegt papa.
'Sjoerd, ga je mee?'

Een uurtje later zijn ze op weg.
Brahim gaat toch ook mee.
Iedereen heeft een tas met schaatsen.
De jongens lopen voorop.
Daarachter komt mama.
Zij draagt twee tassen.
In de tweede zit eten en drinken.
Els draagt haar eigen spullen.
Papa wilde nog een plastic stoeltje meenemen.
Maar Sjoerd en Brahim lachten hem uit.
Dat is echt niet meer nodig!

In de buurt van het plein horen ze de muziek al.
Het is druk op het ijs.
Er zijn ook mensen die gewoon
op schoenen lopen.
Ze trekken een slee met kinderen.
Of ze houden een kind vast dat nog wankelt.
Papa helpt Brahim.
Hij trekt Brahims veters heel strak aan.
Daar gaan ze.
'Goed oefenen!', zegt papa.
'Dan gaat het steeds beter.'
Sjoerd blijft een hele tijd bij Brahim.
Ze gaan naar de kinderen die ijshockeyen.
Els ziet een paar meisjes die ze kent.
Die draaien mooie rondjes.

Els gaat mee oefenen.
Papa en mama rijden een grote ronde.
Ze groeten mensen uit de buurt.
De zon gaat schijnen.
Het lijkt wel feest.
Sjoerd rijdt even een stukje mee
met papa en mama.
Brahim komt op hen af.
Maar hij kan niet goed remmen.
Hij botst zo tegen papa aan.
'Hoe gaat het?', vraagt papa.
'Goed!', zegt Brahim.
Meteen schaatst hij weer weg.
Sjoerd gaat hem achterna.
Brahim gaat kriskras tussen iedereen door.
Hij gaat naar de ijshockeyers.
Sjoerd roept: 'Pas op daar, Brahim!'
De kinderen die ijshockeyen
letten niet op Brahim.
Ze zwaaien met de sticks.
En ze slaan hard tegen de puck.
De puck schiet door de lucht.
Een jongen schaatst er hard naartoe.
Hij duwt Brahim om.
Brahim valt.
De puck komt vlak bij Brahim op de grond.
Twee kinderen slaan ernaar.

Brahim houdt zijn handen voor zijn gezicht.
Maar één van de sticks raakt zijn hoofd.
Brahim schreeuwt het uit.
Sjoerd heeft het gezien.
'Hé!', roept hij heel hard.
'Uitkijken met die sticks!'
Iedereen kijkt naar Brahim.
Er zit bloed aan zijn hoofd.
Er komen steeds meer kinderen bij.
Een mevrouw knielt bij Brahim.
Zij is van de EHBO.

Sjoerd is vlug naar papa en mama gegaan.
Die komen er ook bij.
Brahim krijgt een verband om zijn hoofd.
Hij moet naar de dokter.
Een meneer rijdt wel even.
Mama zegt dat ze meegaat.
Ze gaat vlug haar schaatsen uitdoen.
Maar de auto met Brahim is al vertrokken.
Sjoerd vindt er niets meer aan.
Hij wil liever naar huis.
Mama gaat met hem mee.
Als ze thuis zijn, belt mama naar Brahim.
De telefoon wordt niet opgenomen.
Na een uurtje komen papa en Els ook thuis.
Papa heeft nog nieuws over Brahim.
Hij heeft de meneer van de auto gezien.
Het was allemaal erg meegevallen.
Uit Brahims hoofd kwam veel bloed.
Maar het was een klein wondje.
Sjoerd belt meteen naar Brahim.
Maar de telefoon wordt weer
niet opgenomen.

8 Zonder Brahim

Het is zondagmorgen.
Sjoerd is al vroeg wakker.
Hij moet meteen aan Brahim denken.
Papa zei wel dat alles goed was.
Maar Sjoerd had toch veel bloed gezien.
Zou Brahim vandaag weer kunnen schaatsen?
Bij het ontbijt maken ze plannen.
's Middags gaan ze weer schaatsen.
Sjoerd vraagt steeds hoe het met Brahim zal zijn.
Papa denkt dat het goed is.
Brahim kan vast wel schaatsen.
Sjoerd wil het gaan vragen.
'Bel eerst maar op!', zegt mama.
De telefoon wordt weer niet opgenomen.
'Zal ik er even naartoe gaan?'
Sjoerd kijkt vragend.
'Ja, doe dat maar', zegt mama.
'En neem ook zijn schoenen mee.
Die staan in de gang.'
Sjoerd loopt naar Brahims huis.
Hij belt aan.
Hij wacht.

Hij belt nog eens.
Hij wacht.
Hij hoort helemaal niets in huis.
Hij kijkt door de brievenbus.
Niets te zien.
Hij roept: 'Brahim!
Brahim!
Ga je mee schaatsen?'
Geen geluid.
Sjoerd gluurt door een raam.
Hij ziet niemand zitten of lopen.
Dan gaat hij maar weer.
Hij vindt het niet leuk.

Nou weet hij niet hoe het met Brahim is.
En Brahim gaat ook niet mee schaatsen.

Het is een prachtige middag.
Het is koud, maar de zon schijnt.
Op het ijs is het weer druk.
Veel kinderen zijn aan het schaatsen.
Langs de kant staan mensen.
En er lopen heel veel mensen rond.
Ze kijken naar het ijs.
Ze praten met elkaar.
Het lijkt wel of het hele dorp bij het plein is.
Sjoerd is natuurlijk weer aan het ijshockeyen.
Ze hebben twee groepen gemaakt.
Met twee doelen.
Ze maken er een wedstrijdje van.
Sjoerd kijkt af en toe rond.
Zou Brahim nog komen?
Brahim zou vast graag meedoen.
Met voetballen maken ze ook altijd een doel.
Brahim wil altijd een wedstrijd houden.

Sjoerd krijgt honger.
Brahim is er nog steeds niet.
De meeste mensen gaan naar huis.
Het wordt kouder.
En het is al bijna donker.

De volgende dag is het maandag.
Sjoerd ziet zijn vriend op het schoolplein.
'Waar was jij gisteren?', vraagt Sjoerd.
'Waar kom je opeens vandaan?
Waarom ben je alleen naar school gelopen?
Hoe is het met je hoofd?'
Brahim lacht.
'Voel maar.'
Sjoerd voelt een flinke buil.
'Doet het pijn?'
Brahim schudt van nee.
'Daar kan ik wel tegen, hoor!', zegt hij stoer.
'Ik was gisteren bij jou aan de deur', zegt Sjoerd.
'We gingen weer schaatsen.'
Brahim lacht.
'Wij waren naar Rotterdam.
Naar onze tante.
We zijn nu pas terug.
Papa heeft me gebracht.'
'Ga je dan om vier uur mee schaatsen?'
Brahim kijkt een beetje sip.
'Ik mag niet meer schaatsen.
Mijn moeder vindt het eng.
Ze is bang dat ik weer val.
Ik heb al twee builen op mijn hoofd.
Wij doen dat niet in ons land.'
Sjoerd wordt een beetje boos.

'Maar wij doen dat wel.
Het is gewoon heel fijn.
Iedereen doet het hier.
Ik vind het niet leuk als jij niet meegaat.
Jij bent toch mijn vriend.'
Brahim wordt ook boos.
'Ja, maar als ik niet mag!', zegt hij.
'Jij kunt ook bij mij komen spelen, Sjoerd.
Jij bent toch mijn vriend.'
'En niet gaan schaatsen zeker!',
roept Sjoerd hard.
'Als er ijs is, ga ik schaatsen.
Punt uit!
En jij hebt nog schaatsen van mijn moeder.
Geef die ook maar vlug terug.'
'En mijn schoenen dan?', roept Brahim.
'Krijg ik mijn schoenen ook nog terug?'
De jongens blijven tegen elkaar schreeuwen.

Als de school uit is, zijn ze nog boos.
Ze lopen niet samen naar huis.

9 De laatste keer

Mama, Els en Sjoerd zitten aan tafel.
Ze eten een boterham.
Mama ziet aan Sjoerd dat er iets is.
Sjoerd vertelt over Brahim.
Dat hij niet mag schaatsen.
Dat ze ruzie hebben.
Dat ze naar elkaar geschreeuwd hebben.
Over de schoenen van Brahim.
En over de schaatsen van mama.
Sjoerd wil ze niet gaan halen.
Hij wil niet naar Brahim.
Els zegt dat het ijs aan het smelten is.
Het was niet zo koud vannacht.
Zij gaat om vier uur naar het ijs.
Met een paar vriendinnen.
Sjoerd moet bijna huilen.
Nou gaat het ijs ook al weg.
Dan is het helemaal afgelopen.
Dan kan hij niet meer met Brahim schaatsen.
Els vindt het niet zo moeilijk.
'Er zijn toch genoeg andere jongens.
Jij kunt toch wel iets zonder Brahim.'

'Ja, maar Brahim is mijn vriend.'
'Ik heb een idee!', zegt mama.
'Ik ga naar de moeder van Brahim.
Ik neem zijn schoenen mee.
En ik vraag of Brahim met ons mee mag.
Goed?'
Sjoerd knikt.
Maar hij denkt dat het niet lukt.
'Brahim zegt dat ze dat niet doen in hun land.'
'Natuurlijk niet', zegt mama.
'Dat kan ook niet in een warm land.
Ik zal het uitleggen.
Ik zal ook zeggen dat wij goed op hem letten.'
'Ik hoop dat het lukt', zegt Sjoerd.

Om vier uur gaat Sjoerd weer alleen naar huis.
Brahim heeft de hele middag niet gekeken.
En Sjoerd had ook geen zin om iets te zeggen.

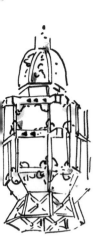

Hij loopt alleen naar huis.
Mama lacht als ze hem ziet.
'Ik heb goed nieuws!', zegt ze.
Sjoerd gaat zitten.
Mama vertelt.
'Ik was bij de moeder van Brahim.
Ze vond het erg fijn dat ik kwam.
We konden heel goed samen praten.
Vooral over onze zonen.
Hoe stout ze altijd zijn.'
'Nou, leuk', zegt Sjoerd.
Mama lacht: 'Geintje.
Nee, eerlijk', gaat mama verder.
'We begrepen elkaar goed.

We hebben een kopje thee gedronken.
En koekjes gegeten.'
'Ja, leuk', zegt Sjoerd weer.
'Hoe is het nou met het schaatsen?'
Mama gaat verder.
'Ja ... dat was wel een probleem.
De moeder van Brahim vindt het gevaarlijk.'
'Dus mag hij niet mee, zeker',
zegt Sjoerd meteen.
'Nou, dat heeft even geduurd.
Ik heb veel moeten praten', zegt mama.
'Maar ...'
Sjoerd wil het weten.

'Wat: maar?'

Mama lacht.

Sjoerd is ook zo ongeduldig.

Ze plaagt nog een beetje.

'Maar ... het gaat zo maar niet.'

'Hoezo: zo maar niet?'

'Nou ...', zegt mama.

'Wij moeten hem ophalen.

En weer thuis brengen.

Ze willen niet meer zo schrikken.

En Brahim bij de dokter ophalen.'

Daar weet Sjoerd wel wat op.

'Brahim moet zelf niet zo wild doen!', zegt hij.

Mama lacht.

Het is avond.

Els gaat met mama naar het plein.

Papa gaat met Sjoerd naar Brahim.

De jongens geven elkaar een hand.

Ze beloven weer vriendjes te zijn.

Op het ijs is het weer gezellig.

De lampen branden.

Er is muziek.

Veel mensen zijn op het ijs.

Veel mensen praten met elkaar.

Bij de koek-en-zopietent is het druk.

Er zitten mensen te drinken.

En te eten.

De jongens gaan eerst een paar rondjes rijden.

Papa blijft erbij.

Brahim staat al aardig recht op de schaatsen.

Ze komen Els en mama tegen.

Ze lachen naar elkaar.

'Niet vallen, Brahim!', lacht mama.

Papa gaat naar de kant.

Hij vindt het ijs niet meer fijn.

Het is al zacht.

Sjoerd en Brahim gaan ijshockeyen.

Ze spelen met een paar jongens.

Ze doen de jongens tegen de meisjes.

Brahim wil zo graag winnen.

Net zoals bij het voetballen.

En dat lukt nog ook!

Als het tijd is om naar huis te gaan, staan ze voor.

De jongens hebben vijftien punten.

En de meisjes dertien.

Brahim is heel trots.

Als ze naar huis lopen, praat hij druk.

'Schaatsen is cool!', zegt hij.

Hij wil het iedere dag wel doen.

'Maar het is nou afgelopen', zegt papa.

'Het vriest niet meer.

Het wordt te warm.

Morgen is het ijs al bijna weg.'

'Hoe lang moeten we dan wachten?',
vraagt Sjoerd.
'Tot de volgende winter?'
'Voor natuurijs wel', zegt mama.
'Daarvoor moet het heel koud zijn.'
Ze zijn bijna bij het huis van Brahim.
'Weet je wat?', zegt papa.
'We gaan volgende week naar de kunstijsbaan.'
De twee vrienden omhelzen elkaar.
'Hoera voor het ijs!', roept Sjoerd.
'Hoera voor het schaatsen!', juicht Brahim.

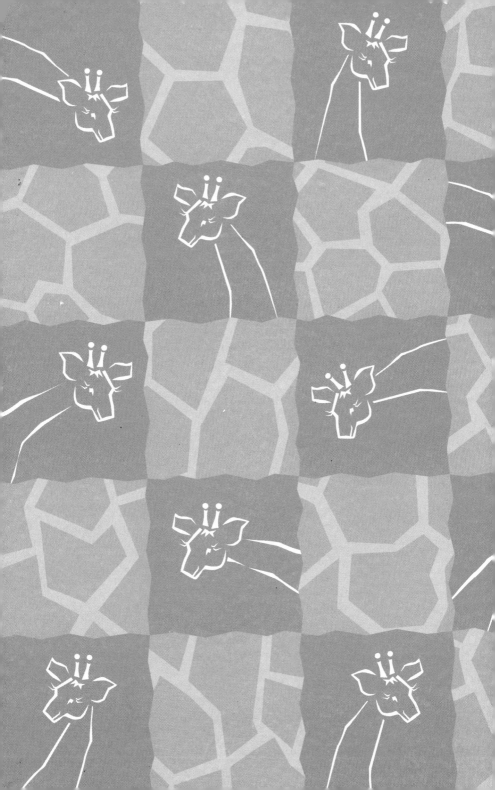